JN126456

# 私の国の昔話
## —こころのユートピア—

デジタルハリウッド大学特任教授・日本語教育研究センター長

富田美知子編著

風詠社

# 『私の国の昔話—こころのユートピア』の出版

## ――― まえがき ―――

いかなる国にも、人々に愛され語り続けられた昔話があります。人から人へと語り継がれる口承文学の素朴な形態の一つが昔話であり、これは人々の心の故郷でもあります。

このたび、本学留学生から自国の昔話を纏め、他国に紹介したいという提案がありました。異国で学んでいる彼らにとって、自国の昔話を他の国の人々に紹介することは、己のアイデンティティーを確認することにも通じると思います。この本学留学生のアクションは、めまぐるしいスピード感に苛まれる現代だからこそ、社会に一石を投ずるものと思われます。

彼らが中心となって編纂される『私の国の昔話—心のユートピア』は、本学留学生にとって、現在、またその後も彼らの宝物になるのではないかと思い、研究課題として取り上げると共に、書籍として刊行することにした次第です。今回取り上げる国は、フランス、インドネシア、中国、ベトナム、韓国、マレーシア、モンゴル、そして日本の8ヵ国になります。まず各国の昔話を担当者同士で話し合い、一つ選び出します。その物語をまず母国語で要約すると共に、更にそれを日本語訳します。そして、その場面を絵画で描く（本人に描かせる）という方法で進んでいきます。こうして各国の昔話が出来上がりましたら、それらを一冊の書籍としてデザインし、出版まで検討していくという形で進めていきました。

このプロジェクトは、日本語の学習になることは勿論、異なった国の文化遺産を見直すという貴重な体験にもなるのではないかと思われます。

人々に愛され、長年に亘り語り伝えられている昔話を残して置きたいという彼らの熱望を、書籍という形にして残した次第です。

2019年12月末日

デジタルハリウッド大学特任教授 日本語教育研究センター長

富田美知子

# 目次

# 蟻と蝉

## La Cigale, ayant chanté

〈フランス〉

La Cigale, ayant chanté
Tout l'été,
Se trouva fort dépourvue
Quand la bise fut venue :
Pas un seul petit morceau
De mouche ou de vermisseau.
Elle alla crier famine.

夏の間歌い続けていた蝉は、自分が無一文であることに
気づいた。北風が吹いてきたというのに蝿やミミズのひ
とかけらも残っていない。蝉はひもじさで悲鳴をあげた。

Chez la Fourmi sa voisine,

La priant de lui prêter

Quelque grain pour subsister

Jusqu'à la saison nouvelle.

隣に住む蟻のところへ行って季節が変わる時まで生きて
いくための少しの穀物を分けてほしいと頼んだ。

Je vous paierai, lui dit-elle,
Avant l'août, foi d'animal,
Intérêt et principal.

蝉は蟻に「動物の名誉に誓って、8月の末までに元金と
利子をそろえて返すから」と言った。

La Fourmi n'est pas prêteuse :
C'est là son moindre défaut.

蟻は気前が良いわけではない。それは蟻の欠点の中でも、
もっとも小さなものではあるが。

Que faisiez-vous au temps chaud ?

Dit-elle à cette emprunteuse.

— Nuit et jour à tout venant

Je chantais, ne vous déplaise.

— Vous chantiez ? J'en suis fort aise.

Eh bien ! Dansez maintenant.

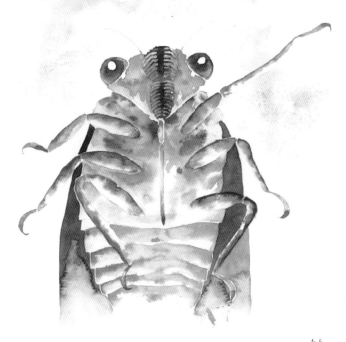

「暑い間おまえさんは何をしていたのだね？」と蟻はこの蝉にたずねた。

「夜も昼も歌っていました。あなたはお気には召さないでしょうが・・・」

「歌っていたって？　それはまた結構なことだ。それじゃ、今度は踊ってみなさい！」

# マリン・クンダング

## Malin Kundang

〈インドネシア〉

Dahulu kala hidup seorang bernama Malin Kudang dengan ibunya yang hidup dalam kemisikinan.

昔々あるところに貧乏な家族が住んでいました。
マリン・クンダングと彼のお母さんは、とても貧乏な村で生きていたのでした。

Pada suatu hari, Malin Kundang memutuskan untuk pergi mencari uang. Malin kundang lalu pergi ke kota besar untuk mencari uang.

ある日、マリンはこの貧乏な生活から解放されたいと思い、
お金を稼ぐために大きな町に行きました。

Lalu Malin kundang pun berhasil menjadi orang sangat kaya dan ia hidup bahagia bersama istrinya.

そして、マリンは町で努力した結果、とてもお金持ちに
なりました。
妻も持ってとても幸せな人生を送っていました。

Setelah waktu berlalu sang ibu yang merindukan anaknya memutuskan untuk pergi menemui anaknya. Akan tetapi pada saat ia bertemu dengan Malin, Malin mengabaikan ibunya dan pergi menaiki kapalnya.

長い時間息子と離れていたお母さんは、息子に会うために
町に出かけて行きました。
しかし、お母さんがやっとマリンに会えたのに、マリンは
自分の母を受け入れませんでした。
そして自分の母を無視して船に乗り込んで行ってしまいま
した。

Ibunya yang terluka berdoa kepada Tuhan , "kutuklah anakku menjadi batu" Tiba-tiba datanglah badai menguanteng kapa malin yang membuat kapal Malin hancur dan terbawa sampai kepantai.

傷ついたお母さんは神に祈りました。「どうか私の息子を石にしてください」と祈りました。
すると突然マリンの船が嵐に巻き込まれました。
そして、その船は嵐のせいで壊れ、海の底まで持っていかれました。

Keesokan harinya, Setelah badai mereda,Terlihat puing-puing kapal malin, dan sesosok batu yang menyerupai tubuh manusia. Itulah tubuh Malin yang telah mendapatkan kutukan dari ibunya yang telah ia lukai.

嵐が止んだ後、マリンの船の残骸（ざんがい）の中に、人の形に見える石がありました。
その石こそが傷ついたお母さんの呪（のろ）いを受けたマリンの体であったのです。

# 夸父逐日

かほちくじつ

〈中　国〉

古时候，有一个勇士名为夸父，他是巨人且力大无穷，认为世界上没有做不成的事情。于是它开始追赶太阳。

昔々、あるところに夸父という勇者がいた。巨人で怪力を持った男だった。
彼は自分ができないことはないと思い、能力を弁えず、太陽に追いつこうとした。

夸父奔跑的非常快，他一脚就能跨过一座山，渡江根本毫不费力。

夸父は早足だった。一足で山を越えることもできた、川を渡ることなんぞも余裕だった。

夸父奔跑了好几个小时，口渴了。他看向了湍流不急的黄河。

彼は何時間も走ったから喉が渇いた。ふと見ると、
隣に黄河が流れていた。

然后一口气喝干了黄河的水。

そして彼は、なんと黄河の水を飲み干してしまった。

可是太阳仍然离他很远，夸父虽然喝干了黄河，
但仍然没有充足的体力去追赶太阳。

しかし、太陽までの距離はまだ遠かった。
黄河（こうが）の水を飲み干しても追いつける体力は夸父（かほ）にはなかった。

夸父奔于大泽途中口渴而死。随后他的身躯化作为了夸父山。

ついに、夸父は太陽を追う途中で喉が渇いて死んでしまった。
その後、彼の巨大な体は「夸父山」となったのだ。

# ジョング神様

## Gióng

〈ベトナム〉

Ngày xửa ngày xưa, trong một ngôi làng nọ có một bà lão cao tuổi sống cô độc một mình. Một ngày kia bà vào rừng và thấy một dấu chân rất to trên đường. Bà bèn ướm thử chân mình vào và liền mang thai.

昔々、ある村に孤独なお婆さんがいました。ある日、お婆さんは林に行った時、とても大きな足跡に気付きました。お婆さんはその足跡を踏んでみたら、すぐに妊娠しました。

Sau đó, bà lão đã hạ sinh một bé trai, và đặt tên là Gióng. Nhưng đến năm 3 tuổi Gióng vẫn chưa biết ngồi, đi hay nói chuyện. Cả một ngày chỉ nằm trên giường ngủ khiến bà lão vô cùng phiền não.

その後、お婆さんは一人の男の子を生みました。その男の子にジョングという名を付けました。しかし、ジョングは三才になりましたが、全く座れないし、走れないし、話せないので、一日中ベッドでずっと寝ています。お婆さんはとても悲しみました。

Một ngày kia, nước láng giềng mang quân sang xâm chiếm. Nghe tin nhà vua đang tìm một bậc tướng tài ba có thể đánh đuổi giặc, Gióng liền bắt đầu cất tiếng nói đầu tiên. Bà lão và dân làng rất vui mừng, liền làm nhiều đồ ăn ngon cho Gióng.

ところが、ある日、隣の敵国<ruby>敵国<rt>てきこく</rt></ruby>がジョングの国を攻撃<ruby>攻撃<rt>こうげき</rt></ruby>してきました。ジョングは、王様が強い才能を探していることを知ると急にしゃべれるようになりました。お婆さんと村人たちは、嬉しくてジョングのためにおいしい料理を作りました。

Sau khi Gióng đã ăn no, cậu bỗng lớn nhanh như thổi, chẳng mấy chốc mà trở thành một chàng trai cao to vạm vỡ. Gióng nhận "ngựa sắt" và "gươm sắt" từ vua và phi đến nơi giặc ở. Đánh giặc thua tan xác xong, Gióng cùng ngựa sắt bay lên trời.

ジョングは料理を全部を食べると、背が高くなり、また力も強くなり、とてもたくましい青年になりました。そして、王様から「鉄の馬」と「鉄の刀」をもらい、敵のところに戦いに行きました。やがて、ジョングは敵に勝利し、「鉄の馬」と一緒に空高く飛んで行きました。

# 해님달님

## お日様、お月様

〈韓 国〉

옛날 옛적, 깊은 산속에서 오누이와 함께 사는 홀어머니는
장터에서 돌아오는 길에 호랑이를 만났어요. 호랑이가 나타나
"어흥, 떡 하나 주면 안 잡아먹지!" 라고 하자 홀어머니는
벌벌 떨며 떡을 던져주었어요.

昔々、深い森の中で、ある兄妹の母親は市場から帰る道で虎
に会いました。虎は、"うおお、餅をくれなかったら食って
やるぞ！"と言いました。母親はぶるぶると怯えながら、餅
を一つ投げ渡しました。

하지만 호랑이는 그 떡을 먹고도 배가 고파서 홀어머니를
잡아먹고 옷을 뺏어입었어요. 호랑이는 어머니인 척 오누이의
집으로 찾아가 "엄마 왔다, 문 열어줘" 라며 문을 열어달라고
오누이에게 말했지만, 오누이는 어머니가 아닌 것에 눈치를
채고 문을 열어주지 않았어요.

虎は母親が持っていた餅を全部食べました。それでも、腹が
減った虎は、母親も食べてしまいました。そして、母親の真
似をするために服を着て、兄妹の家に向かいました。
「お母さんが帰って来たぞ、扉を開けなさい」と兄妹に言い
ましたが、兄妹は声の主が母親ではないことに気づき扉を開
けませんでした。

뭔가 위험을 느낀 오누이는 재빠르게 집에서 도망쳐 , 나무
위로 올라갔어요 . 화가 난 호랑이는 주방에서 도끼를 들고 와 ,
나무를 찍어 올라가려 했어요 .

身の危険を感じた兄妹は素早く外に逃げて、木に登りました。
怒った虎は台所から斧を持ってきて、木に登ろうとしました。

그 모습에 겁을 먹은 오누이는 하느님께 우리를 살리시려거든
금 동아줄을 , 버리시려거든 썩은 동아줄을 내려달라고
간절하게 빌었어요 . 그렇게 하늘에서 금 동아줄이 내려와 ,
오누이는 그 줄을 잡아 하늘로 올라갔어요 .

その姿に恐怖を感じた兄妹は、神様に祈りました。私たちを
助けたいなら金の綱を、助けたくないなら腐った綱を下して
くださいと。そうすると、空から金の綱が下りて来ました。
兄妹は、その綱を握って空に昇りました。

그것을 본 호랑이도 똑같이 빌었지만 그 동아줄은 썩은
동아줄이었고, 그대로 떨어지고 말았어요. 하늘로 올라간
오누이는 그렇게 해와 달이 되었답니다.

虎も同じように空に昇るために祈りました。
しかし、空から下りてきた綱は腐ったものだったので、
虎はそのまま落ちてしまいました。
やがて空に昇った兄妹は、太陽と月になりました。

# カンチルとワニ

## Sang Kancil dengan buaya

〈マレーシア〉

Pada zaman dahulu Sang Kancil adalah merupakan binatang yang paling cerdik di dalam hutan.

Suatu hari Sang Kancil berjalan-jalan di dalam hutan untuk mencari makanan.

カンチルは、昔から森の中で一番頭がいい動物だと思われていました。

ある日、カンチルは森へ食べ物を探しに行きました。

Setelah meredah hutan akhirnya kancil berjumpa dengan sebatang sungai yang sangat jernih airnya. Sang Kancil terpandang kebun buah-buahan yang sedang masak ranum di seberang sungai.

カンチルは、川にたどり着きました。
川の向こうには、果物の畑があります。

Sang Kancil berfikir mencari akal bagaimana untuk menyeberangi sungai .

Tiba-tiba Sang Kancil terpandang Sang Buaya yang sedang asyik berjemur di tebing sungai.

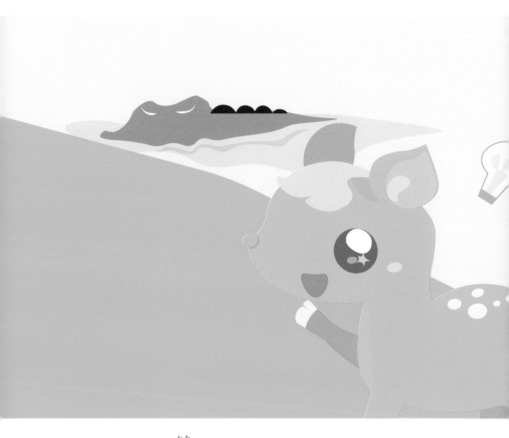

カンチルは川を渡る方法を考え始めました。
その時、ワニが川岸で休んでいるのが見えました。
カンチルはワニに近づいていきました。

Kancil terus menghampiri buaya lalu berkata "Hai Sang Buaya, apa khabar?" "Khabar baik sahabatku Sang Kancil" sambung buaya lagi "Apakah yang menyebabkan kamu datang ke mari?"
jawab Sang Kancil "Aku diperintahkan oleh Raja supaya menghitung jumlah buaya yang terdapat di dalam sungai ini".
"Baiklah, aku akan memanggil semua kawan aku" kata Sang Buaya.

「こんにちは、ワニくん。」
「こんにちは、俺に何の用ですか？」ワニが返事しました。
「森の王様が、私に川にいるワニの数を数えろと命令しました。」
「わかりました。今すぐ友達を呼んで来ます。ちょっと待ってください。」

Tidak lama kemudian semua buaya berkumpul di tebing sungai. Sang Kancil berkata "Hai buaya sekalian, beraturlah kamu merentasi sungai bermula daripada tebing sebelah sini sehingga ke tebing sebelah sana". semua buaya segera beratur tanpa membantah. Sang Kancil melompat ke atas buaya yang pertama di tepi sungai dan ia mula menghitung dengan menyebut "Satu dua tiga…… "

数分後、川にいるワニたち全員が揃いました。
「川を渡りながら数えるので一列に並んでください。」
カンチルはワニの体を踏みながら、数え始めました。
「一、二、三　・・・・」

Apabila sampai ditebing sana kancil terus melompat ke atas tebing sungai sambil bersorak kegembiraan dan berkata "Hai buaya-buaya sekalian, tahukah kamu bahawa aku telah menipu kamu semua". Semua buaya berasa marah kerana mereka telah di tipu oleh kancil. Sementara itu Sang Kancil menghilangkan diri di dalam kebun buah-buahan untuk menikmati buah-buahan itu.

カンチルは、川を渡ることができて、とても喜びました。
「ワニくん、実は森の王様からの命令なんてないんです。騙してすみませんでした。」
ワニはとても怒って、絶対に復讐すると誓いました。
しかし、カンチルはそんなことは全然気にせずに、畑にある果物を楽しく食べています。

# アルンゴー母さんの教訓

Алунгоо эхийн домог

〈モンゴル〉

Эрт цагт Монгол нутагт Алунгоо гэх үзэсгэлэнт хатан амьдардаг байв. Алунгоо хатны нөхөр нь эрт өөд болсон бөгөөд, 5 хүүтэйгээ цуг амьдарч байлаа. Гэвч таван хөвгүүд нь эв түнжин муутай үргэлж өөр хоорондоо тэмцэлдэх ажээ.

昔々モンゴルにアルンゴーという美しい女王が住んでいました。アルンゴーの夫は亡くなったので、五人の息子と暮らしていました。
しかし五人の息子たちは仲が悪く、いつもケンカをしていました。

Нэгэн өдөр Алунгоо эх таван хүүгээ эвлэрүүлэхийн тулд
цуглуулав. Таван хөвгүүддээ бүгдэд нь "Энэ нэг сумыг хугал"
хэмээн сум тарааж өгөв. Хөвгүүд инээлдэн, Алунгоо эхийн
өгсөн сумыг хялбархан хугалж орхив.

君たちは全員私のお腹から生まれたのに、どうして兄弟で
ケンカをするんですか。
「この矢を折ってみなさい。」と言って、アルンゴーは、息子
たちに一本の矢を差し出しました。息子たちは笑いながら、
その矢を簡単に折ってしまいました。

Үүнийг ажиж суусан Алунгоо эх "Одоо энийг хугал" хэмээн багцалсан сум тарааж өгөв. Таван хөвгүүн багцалсан сумыг аван хугалах гэж оролдсон боловч хэн ч хугалж чадсангүй. Энэ байдлыг нь харж байсан Алунгоо эх хөвгүүддээ хандан ийн сургамжлав.

それを見たアルンゴーは「次はこれを」と言って、束ねた矢を渡しました。しかし、息子たちがそれを折ろうとしても、誰も折ることができませんでした。

Та таван хөвгүүн өөр хоорондоо тэмцэлдэн байваас энэ ганц сум адил хэнд ч хялбархан дийлдэнэ. Харин эвтэй байж, өөр хоорондоо эвлэлдэн нэгдвээс энэ багцалсан сум мэт хэнд ч хялбар үл дийлдэнэ.

仲良くしてお互いに助け合っていれば、この束ねた矢のように誰にも負けない。
これからは君たち五人は仲良くして、困ったとき、苦しいときには助け合って暮らしなさい。

Хөвгүүд энэ сургаалыг сонссон цагаас хойш үргэлжид эвтэй байж, нэг нэгэндээ туслан амьдрах болжээ. Мөн Алунгоо эхийн сургаалыг үеийн үед үр хүүхдүүддээ уламжлан захижээ.

この時から、息子たちはアルンゴーの言ったことを忘れずに、仲良く暮らし、自分たちの子に、またその息子にと、その教訓を教え続けました。

# 桃太郎

Momotaro

〈日　本〉

昔々おばあさんが川へ洗濯に行くと川上の方からどんぶらこ、
どんぶらこと大きな桃が流れてきました。

A long time ago, there was an old lady who went to the upper river to
wash clothes beside the river.
Plop! A big huge peach come plopping and flowing down from the
steam.A long time ago, there was an old lady who went to the upper river
to wash clothes beside the river.
Plop! A big huge peach come plopping and flowing down from the steam.

おばあさんは大きな桃を持ち帰り、２つに切ると、中から元気な男の子が飛び出てきました。おばあさんは男の子を桃太郎と名付け大切に育てました。

The old lady took the peach back to her house and cut it into the half. Poof!
What a surpise! An energrtic boy jumped out from the huge peach.
The old lady named the boy Momotaro and fed him with care and love.

大きくなった桃太郎は悪さをする鬼を退治するために、おばあさんにもらったきびだんごを持って旅に出ました。そして犬、さる、きじを仲間に加え鬼ヶ島へと向かいました。

After growing up, Momotaro embarked his journey of demons extermination with the dumplings made
by the old lady. With a dog, a monkey, and a pheasant joined into his party, they headed to the Onigashima. (the island of demons)

鬼ヶ島に着くと桃太郎は、犬、さる、きじと共に果敢に戦い、
ついに鬼の大将を討ち取りました。

Reaching Onigashima(the island of demons),
Momotarofought along with the dog, the monkey and the pheasant bravely
and successfully defeated the boss of all demons.

降参した鬼からお宝を沢山もらい、村へと帰ってきた桃太郎は幸せに暮らしましたとさ。

Receiving treasures from the surrendered demons, he brought the treasutes back to the village and lived happily ever.

# ―― あ と が き ――

お陰様で関係者の皆さまの努力の結晶である書籍『私の国の昔話―こころの
ユートピア』が完成いたしました。
まず、表紙のモチーフはデザイナーの意見に賛同し、「グリフィン」にしました。
なぜ「グリフィン」かと申しますと、「グリフィン」は黄金を発見し、それを
守るという伝説があります。更に、古くから物語に登場している故に、人々に
広く認知されている存在でもあるからです。
この本も、グリフィンのようにより多くの人々からその価値を見出され、末永
く大切に守っていってほしいと願っております。
下記の執筆・作画・デザイン・編集 担当の皆さま、本当にお疲れ様でした。

　　　　　　　　　　　　　　　　　　　　　　　・・・富田美知子


| ・編著・監修 | 富田美知子 |
| --- | --- |
| | デジタルハリウッド大学特任教授・日本語教育研究センター長 |

| ・フランスの昔話 | La Cigale, ayant chanté　「蟻と蝉」 | |
| --- | --- | --- |
| | 〈文執筆〉テオ・ゴティエ | デジタルハリウッド大学院 卒業 |
| | 〈作画〉　水島　篤 | 東京藝術大学日本画専攻　卒業 |

| ・インドネシアの昔話 | Malin Kundang　「マリン・クンダング」 | |
| --- | --- | --- |
| | 〈文執筆〉JASONJ AIRUS TANASAL | デジタルハリウッド大学 1 年 |
| | 〈作画〉　NADYA BUDIAWAN | デジタルハリウッド大学 1 年 |

| ・中国の昔話 | 夸父逐日　「かほちくじつ」 | |
| --- | --- | --- |
| | 〈文執筆・作画〉郭　小笛 | デジタルハリウッド大学 1 年 |
| | 〈文執筆・作画〉王　越 | デジタルハリウッド大学 1 年 |

・ベトナムの昔話　　Gióng　「ジョング神様」

　　　　　　　　　〈文執筆〉TRAN PHUOC HAVY　　デジタルハリウッド大学 2 年

　　　　　　　　　〈作画〉　タンタオ　　　　　　デジタルハリウッド大学 1 年

　　　　　　　　　〈作画〉　NGUYEN CHAU　　　デジタルハリウッド大学 2 年

・韓国の昔話　　　해님달님　「お日様、お月様」

　　　　　　　　　〈文執筆〉　金　叡率　　　　　デジタルハリウッド大学 2 年

　　　　　　　　　〈作画〉　SHIN JIHYE　　　　デジタルハリウッド大学 2 年

　　　　　　　　　〈作画〉　鄭　書英　　　　　　デジタルハリウッド大学 2 年


・マレーシアの昔話　Sang Kancil dengan buaya　「カンチルとワニ」

　　　　　　　　　〈文執筆・作画〉YEUNG KAH YEE　　デジタルハリウッド大学 2 年


・モンゴルの昔話　　Алунгоо эхийн домог　「アルンゴー母さんの教訓」

　　　　　　　　　〈文執筆・作画〉GANBAATAR ARGAbILEG

　　　　　　　　　　　　　　　　　　　　　　　　デジタルハリウッド大学 1 年


・日本の昔話　　　Momotaro　「桃太郎」

　　　　　　　　　〈文執筆・作画〉伊藤　壱　　　デジタルハリウッド大学 3 年


・表紙デザイン　　西田　義孝　　　　　東京藝術大学美術学部デザイン科　在籍


・編集・構成　　　伊藤　壱　　　　　　デジタルハリウッド大学 3 年


・推薦文　　　　　橋本　大也

　　　　　　　　　デジタルハリウッド大学教授・メディアライブラリー館長

私の国の昔話 ―こころのユートピア―

2020 年 2 月 4 日　第 1 刷発行

著　者　デジタルハリウッド大学学生・東京藝術大学学生
編　著　デジタルハリウッド大学特任教授・日本語教育研究センター長　富田美知子
発行人　大杉　剛
発行所　株式会社 風詠社
　　　　〒 553-0001　大阪市福島区海老江 5-2-2
　　　　　　　　　大拓ビル 5 - 7 階
　　　　℡ 06（6136）8657　https://fueisha.com/
発売元　株式会社 星雲社（共同出版社・流通責任出版社）
　　　　〒 112-0005　東京都文京区水道 1-3-30
　　　　℡ 03（3868）3275
印刷・製本　シナノ印刷株式会社
©Michiko Tomita 2020, Printed in Japan.
ISBN978-4-434-27130-4 C0039
乱丁・落丁本は風詠社宛にお送りください。お取り替えいたします。